LE SINGE DE HARTLEPOOL

SCÉNARIO
Wilfrid LUPANO

DESSIN & COULEUR
Jérémie MOREAU

DELCOURT

HA HA HA !
MAIS QU'EST-CE QU'IL EST ABRUTI, CE SINGE !

OUI, T'ES BEAU, MON NELSON !

HEUREUSEMENT QU'IL EST LÀ, TIENS.

C'EST BIEN LE SEUL SOUVENIR UN PEU MARRANT QUE J'AIE GARDÉ DU TEMPS OÙ JE FAISAIS COMMERCE D'ÉBÈNE SUR LES CÔTES AFRICAINES...

AH ? VOUS AVEZ ÉTÉ MARCHAND D'ESCLAVES ? VOUS NE ME L'AVIEZ PAS DIT.

C'EST PARCE QUE JE PRÉFÈRE NE PLUS EN PARLER...

DES REGRETS ?

BOAF ! SUR LA FIN, ON N'Y GAGNAIT PLUS AUTANT SA VIE QU'AVANT ! CES SATANÉS HUMANISTES, TOUJOURS À NOUS EMPÊCHER DE TRAVAILLER...

...À NOUS COLLER DES DROITS DE L'HOMME PARTOUT, Y COMPRIS CHEZ LES NÈGRES !

CROYEZ-MOI, ON NE MESURE PAS ENCORE LE MAL QUE LE SOI-DISANT SIÈCLE DES LUMIÈRES A FAIT À L'IDÉE DE GRANDEUR NATIONALE.

ON N'A PAS FINI D'EN PAYER LE PRIX, C'EST MOI QUI VOUS LE DIS. UN JOUR, ON VIENDRA VOUS DIRE QU'UN NÈGRE PEUT COMMANDER UN BATEAU.

C'EST POUR ÇA QUE JE SUIS DEVENU MILITAIRE. DANS L'ARMÉE, AU MOINS, LES CHOSES RESTENT SIMPLES.

D'UN CÔTÉ IL Y A NOUS, LA FRANCE, ET DE L'AUTRE, IL Y A L'ENNEMI. J'AIME CETTE VISION FRANCHE DES CHOSES.

BIZZ!

HAHA!!! ON JURERAIT QU'IL EST HUMAIN, NON ? IL NE LUI MANQUE QUE LA P...

WHAT SHALL WE DO WITH A DRUNKEN SAILOR...

?!!!

WHAT SHALL WE DO WITH A DRUNKEN SAILOR? EARLY IN THE MOOORNING...

PUT HIM IN THE LONG BOAT ♪ UNTIL HE'S SOBER ♫

PUT HIM IN THE LONG ♫ BOAT...

EARLY IN THE MORNING...

PUT HIM IN THE ♫ ♪ LONG BOAT ♪

CAPORAL LEDROFF!!! METTEZ-MOI CE MOUSSE AUX ARRÊTS!!!

M... MAIS POURQUOI CAPITAINE? QU'EST-CE QUE J'AI FAIT?!

6

TU OSES POSER LA QUESTION ?!?

POUR TA COUVERNE, PETIT VAURIEN, SACHE QUE J'ÉTAIS À TRAFALGAR, MOI ! ET SI ON AVAIT ÉCOUTÉ MES CONSEILS TACTIQUES, ON LES AURAIT SALEMENT TORCHÉS, LES BRITISH !

ET IL NE SERA PAS DIT QUE LE CAPITAINE LOUIS-ARMAND NARRAUD AURA LAISSÉ CHANTER DES HYMNES ANGLAIS SUR SON BÂTIMENT !

QUINZE JOURS AUX FERS !

QUOI, VOUS PARLEZ DE LA CHANSON ?

MAIS C'EST PAS UN HYMNE ANGLAIS, C'EST UNE VIEILLE CHANSON DE MARINS. C'EST QUE MA NOURRICE ÉTAIT DE CORNOUAILLES, VOYEZ. MARY SULLIVAN, QU'ELLE S'APPELAIT.

ET QUAND J'ÉTAIS PETIT, À SAINT-MALO, ELLE ME CHANTAIT DES CHANSONS DE SON PAYS, POUR M'AMUSER.

ÇA FAIT QUE L'ANGLAIS, EN FAIT, C'EST QUASIMENT MA LANGUE MATERNELLE, VOYEZ...

UNE... N... NOURRICE ANGLAISE ?!

SEIGNEUR DIEU, QUELLE ABJECTION !

C... CAPITAINE, VOUS ÊTES CERTAIN DE VOULOIR FAIRE ÇA ?

PLUTÔT DEUX FOIS QU'UNE ! NON MAIS JE RÊVE ! CE MIOCHE A ÉTÉ NOURRI AU SEIN ANGLAIS ! IL A TÉTÉ LA PERFIDIE À LA SOURCE !

JE VAIS VOUS DIRE UNE CHOSE, LIEUTENANT.

LA VÉRITÉ, C'EST QUE JE SUIS UN VIEUX MARIN FATIGUÉ. C'EST MA DERNIÈRE MISSION SUR LES EAUX, ET IL ME TARDE DE RENTRER, PARCE QUE LA SEULE VUE DE CES SATANÉES CÔTES ANGLAISES ME REND MALADE.

COMMENT NOTRE SEIGNEUR TOUT-PUISSANT A-T-IL PU SE LAISSER ALLER À CRÉER L'ANGLETERRE ? ÇA DÉPASSE L'ENTENDEMENT...

MÊME LES SINGES SONT PLUS ÉVOLUÉS. EN TOUT CAS, ILS SONT PLUS MARRANTS.

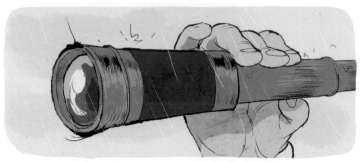

HÉ HÉ !

HUHUHU...

SI ON RENTRAIT S'EN JETER UN, WALTER ?

POUR RATER LE CLOU DU SPECTACLE ? ATTENDS UN PEU, DOUG.

MAIS RACONTE-MOI, AU MOINS. COMMENT ILS S'EN SORTENT ?

TRÈS MAL ! 'SAVENT PAS NAVIGUER DANS LE GROS TEMPS, CES PRÉTENTIEUX DE FRANÇAIS ! REGARDE-MOI CE TRAVAIL ! UN PETIT CRACHIN DE RIEN DU TOUT, ET ILS FINISSENT TOUS AU FOND ! ÇA LEUR APPRENDRA À S'APPROCHER SI PRÈS DE NOS CÔTES.

HÉÉÉ... VOILÀ !

TAPE-M'EN CINQ, DOUG ! LA NATURE VIENT DE NOUS DÉBARRASSER D'UNE PARTIE DU PROBLÈME FRANÇAIS ! HA HA HA HA ! "MOTHER NATURE" !

HA HA ! BIEN FAIT POUR EUX, WALTER.

BONNE BAIGNADE, LES GRENOUILLES !!!

ALLEZ, ON RENTRE AVANT QU'IL NE SE METTE À FAIRE VRAIMENT MAUVAIS ! ON VA S'EN JETER UN AU CONGRE DEBOUT.

ON REVIENDRA DEMAIN MATIN.

TROUVEZ-VOUS UNE PLACE
À L'ÉCURIE, BARNEY ! JE
VOUS FERAI PORTER UN
PLAT CHAUD !

'SOIR.

BONSOIR. JE VOYAGE AVEC MON FILS, NOUS ÉTIONS SUR LA ROUTE DE NEWCASTLE, MAIS LA TEMPÊTE A ARRACHÉ UNE PARTIE DU TOIT DE NOTRE VOITURE. SERAIT-IL POSSIBLE D'AVOIR UNE CHAMBRE POUR LA NUIT ET UN REPAS CHAUD ?

UNE CHAMBRE ?

EH BIEN OUI... C... C'EST BIEN UNE AUBERGE, ICI, NON ?

AH, EUH... OUI. C'EST JUSTE QU'ON N'A PAS L'HABITUDE D'AVOIR DES VISITEURS, VOYEZ...

CE NE SERA QUE POUR UNE NUIT. DÈS DEMAIN, JE FERAI RÉPARER, ET JE REPRENDRAI LA ROUTE.

BAH, J'AI UNE SORTE DE CHAMBRE, MAIS...

OUI, C'EST EFFECTIVEMENT ASSEZ SOMMAIRE...

ET POUR VOTRE FILS, EH BIEN... SI VOUS VOULEZ, IL PEUT DORMIR AVEC MES GARNEMENTS.

PARFAIT. ÇA IRA TRÈS BIEN POUR CETTE NUIT.

VENEZ VOIR !

P'TIOU ! VERMINE FRANÇAISE !

SALETÉ DE CLOPORTE NOURRI À LA FIENTE DE POULE ! CREVURE DE BOUFFEUR DE TRIPES DE RATS !

?!!!

IL EST VIVANT !!!

ATTRAPEZ-LE !

M... MAIS QU'EST-CE QU'IL FABRIQUE ?

IL SE FICHE DE NOUS, MA PAROLE...

SALE CLAVIOT DE VIEUX RAGONDIN MALADE !

PAN !!

?!!

ATTRAPEZ-LE !

26

PRENEZ-LE VIVANT ! IL FAUT LE FAIRE PARLER !

AAAAAHH !!!

NON MAIS REGARDEZ ÇA ! IL A MORDU M'SIEUR LE PASTEUR !

VOILÀ BIEN LES CATHOLIQUES ! DES BÊTES !

KIAAH

KRIAAH!

Oooh, TU PEUX BRAILLER, FRENCHY. ON NE COMPREND RIEN À CE QUE TU DIS...

C'EST TOUT DE MÊME TRÈS MOCHE, CETTE LANGUE. JE NE COMPRENDS PAS COMMENT CERTAINS PEUVENT TROUVER ÇA ROMANTIQUE.

SÛR. C'EST AGRESSIF À L'OREILLE. ET NASILLARD, AVEC ÇA.

KIAH

KRIAH

ESPÈCE DE SALE DÉJECTION D'HIRONDELLE AFRICAINE BOUFFÉE PAR LES VERS !

28

WOUAAH ! SUPER, TON TRICORNE DE FRANÇAIS ! T'AS EU ÇA OÙ ?

EUH... SUR LA PLAGE, LÀ.

TU VEUX PAS FAIRE LE FRANÇAIS AVEC MOI ? PARCE QUE CHUIS TOUT SEUL, DANS LE CAMP DES FRANÇAIS.

EUH... D'ACCORD.

J'M'APPELLE CHARLY.

PHILIP.

ATTENDS, IL TE FAUDRAIT UN FUSIL...

TIENS. ÇA FERA L'AFFAIRE.

IL EST EN BAS !

FLÛTE, LES ANGLAIS ! ON SE TAILLE !

ON...
ON VA OÙ ?

J'EN SAIS RIEN, ON VERRA. T'AS UN DRÔLE D'ACCENT, T'ES PAS DU COIN, PAS VRAI ?

NON.

MOI, C'EST PAREIL. CHUIS DE SHREWSBURY, DANS LE SHROPSHIRE. ET EUX, DERRIÈRE, C'EST L'ARMÉE DE SA MAJESTÉ LA REINE. C'EST DES GARS D'ICI.

ET POURQUOI C'EST TOI QUI FAIS LE FRANÇAIS ?

BEN PARCE QUE JE SUIS PAS DU COIN, JUSTEMENT.

MAIS C'EST QUOI CE RAFFUT ?!

ON PEUT PLUS DÉJEUNER TRANQUILLE, DANS CE PATELIN ?

AH ! M'SIEUR LE MAIRE !

UN VAISSEAU FRANÇAIS A FAIT NAUFRAGE CETTE NUIT, ET ON A CAPTURÉ UN SURVIVANT !

UN FRANÇAIS ?! À HARTLEPOOL ?!

ET C'EST UN VÉRITABLE DÉMON ! IL A MORDU M'SIEUR LE PASTEUR !

LAISSEZ-MOI VOIR, JE SUIS MÉDECIN.

AH BEN ÇA ALORS, POUR UNE AUBAINE ! IL Y A JAMAIS EU DE DOCTEUR À HARTLEPOOL. ON EST OBLIGÉS D'ALLER SE FAIRE SOIGNER CHEZ LES PEIGNE-CULS DE MIDDLESBROUGH !

VOUS ÊTES LE MAIRE ? J'AVAIS CRU COMPRENDRE QUE VOUS ÉTIEZ L'AUBERGISTE...

L'UN N'EMPÊCHE PAS L'AUTRE, BIEN AU CONTRAIRE.

VOUS DITES QUE C'EST UN FRANÇAIS QUI A FAIT ÇA ?

COMME ON VOUS LE DIT, DOCTEUR ! LAID COMME L'ARRIÈRE-TRAIN DE BELZÉBUTH, ET SES DENTS SONT POURRIES !

JE VAIS MOURIR ?!!

PAS SI ON EMPÊCHE L'INFECTION. SUIVEZ-MOI DANS L'AUBERGE...

EMMENEZ-MOI JUSQU'À LUI ! ON VA LUI APPRENDRE CE QU'IL EN COÛTE, À CE MAUDIT FRANÇAIS, DE MORDRE LES CONTRIBUABLES DE HARTLEPOOL !

CE VIEUX ALF PATTERSON.
JE CROYAIS QU'IL SORTAIT
PLUS...

C'EST UN CANON FRANÇAIS
QUI M'A ARRACHÉ LES JAMBES, AU
SIÈGE DE QUÉBEC, EN 1759 ! ALORS
POUR CE QUI EST DES FRANÇAIS,
JE SAIS DE QUOI JE PARLE !
ET CELUI-LA, C'EN EST UN !
PARFAITEMENT !

GRAND-PÈRE,
COMMENT PEUX-TU
L'AFFIRMER, TU NE
VOIS PLUS RIEN !

PAS BESOIN DE VOIR,
JE LES RECONNAIS À L'ODEUR, MOI,
LES FRANÇAIS ! LES FRANÇAIS,
ÇA PUE !

SNIF, SNIF... FAUT RECONNAÎTRE QU'IL SENT ATROCEMENT MAUVAIS.

TU ÉTAIS ARTILLEUR AU TROISIÈME PONT, GRAND-PÈRE. COMMENT PEUX-TU AVOIR SENTI L'ODEUR DES FRANÇAIS ?

J'ÉTAIS SOUS LE VENT ! ET PUIS IL N'Y A PAS QUE L'ODEUR ! LES FRANÇAIS SONT LAIDS ! TRÈS LAIDS ! ET LEUR CORPS EST COUVERT DE POILS RÊCHES ET GRAISSEUX !

ET LEURS PIEDS, OLD PATTERSON ? EST-CE QUE LEURS PIEDS RESSEMBLENT À DES MAINS ?

LA PLUPART DU TEMPS, LEURS PIEDS RESSEMBLENT À DES SABOTS FOURCHUS ! MAIS IL ARRIVE EFFECTIVEMENT QU'ILS RESSEMBLENT À DES MAINS !

LES AMIS, JE CROIS QUE LE DOUTE N'EST PLUS PERMIS !

C'EST UN FRANÇAIS !

HOURRA !

VIVE OLD PATTERSON !

RAAAH!!

QU'EST-CE QU'IL DIT ?

COMMENT VEUX-TU QUE JE LE SACHE ?! JE NE PARLE PAS FRANÇAIS !

PENDONS-LE!

CALMONS-NOUS, BRAVES GENS.

LA CAPTURE DE CE FRANÇAIS EST PEUT-ÊTRE UNE OCCASION UNIQUE D'APPRENDRE DES CHOSES SUR LES PLANS DE NAPOLÉON.

HEIN ?!

EH OUI ! APRÈS TOUT, CE VAISSEAU FRANÇAIS ÉTAIT PEUT-ÊTRE LE PREMIER D'UNE FLOTTE PLUS IMPORTANTE QUI A PRÉVU, QUI SAIT, D'ENVAHIR L'ANGLETERRE !!

ENVAHIR L'ANGLETERRE ?

EN... EN COMMENÇANT PAR HARTLEPOOL ?

CE SERAIT UNE DRÔLE D'IDÉE, MONSIEUR LE MAIRE. HARTLEPOOL N'EST PAS À PROPREMENT PARLER UN OBJECTIF MILITAIRE SUBSTANTIEL.

JUSTEMENT ! LE LIEU RÊVÉ POUR QUE CES FOURBES DE FRANÇAIS DÉBARQUENT SUBREPTICEMENT POUR PRENDRE LONDRES À REVERS !

ÇA M'ÉTONNERAIT PAS D'EUX ! DÉJÀ, À QUÉBEC, ILS SE SONT TORCHÉS AVEC LE CODE D'HONNEUR DE LA MARINE !

AH LES FOURBES ! LES FILS DE CHIENNE !

CELUI-LÀ CONNAÎT PEUT-ÊTRE LES PLANS D'INVASION DE NAPOLÉON. CE BATEAU ÉTAIT SÛREMENT LE PREMIER D'UNE VASTE OPÉRATION.

IMAGINEZ ÇA, LES AMIS : HARTLEPOOL, LE VILLAGE QUI, PAR SA VIGILANCE, A SAUVÉ LA COURONNE D'ANGLETERRE DE L'IGNOBLE PLAN D'INVASION DES FRANÇAIS !

HARTLEPOOL, LE VILLAGE DES HÉROS !

IL A RAISON !

CE SALE FRANÇAIS EN SAIT SÛREMENT LONG SUR CE FAMEUX PLAN.

ET TU VAS NOUS EN PARLER, DE GRÉ OU DE FORCE !

TOUT ÇA, C'EST DE LA PERTE DE TEMPS ! IL FAUT LE ZIGOUILLER, UN POINT C'EST TOUT !

PARFAITEMENT ! VIVE PATTERSON ! JE CRACHE SUR CETTE ENGEANCE DE PUTOIS MALADES DONT LA MÈRE A BOUFFÉ LE...

TU NOUS FATIGUES, BARBIZAN.

PIS C'EST L'HEURE DU BREAKFAST !

TU VIENS AVEC NOUS, "NAPOLÉON" ? MA MÉMÉ FAIT LES MEILLEURS BISCUITS AU MIEL DU MONDE !

AVEC PLAISIR.

DIS DONC, PHILIP, T'ES PAS DE HARTLEPOOL ?

TU VIENS D'OÙ ? DE HART ?

JE, EUH... OUI.

D'HABITUDE, ON JOUE PAS TROP AVEC LES GARS DE HART. C'EST DES PEIGNE-CULS.

MAIS TOI, C'EST PAS PAREIL. T'ES SYMPA...

'JOUR MÉMÉ !

REGARDE UN PEU QUI ON A CAPTURÉ : NAPOLÉON EN PERSONNE ! AVEC LE TRICORNE ET LA COCARDE !

BIEN, EH BIEN ! BRAVO ! VOUS AVEZ BIEN MÉRITÉ VOTRE RATION DE COOKIES.

HÉ HÉ HÉ ! IL A UN FÉROCE APPÉTIT, VOTRE NAPOLÉON.

COMME TOUS LES FRANÇAIS, MÉMÉ ! ILS PENSENT QU'À MANGER ET FAIRE LES MARIOLES !

FIGUREZ-VOUS QUE SUR LA PLACE DES PÊCHEURS AUSSI, IL PARAÎT QU'ILS EN ONT CAPTURÉ UN, DE FRANÇAIS. UN QUI VIENT D'UN NAVIRE QUI A FAIT NAUFRAGE CETTE NUIT, DANS LE GROS TEMPS.

OUAAAH ! VITE, ON VA VOIR ! ILS VONT SÛREMENT LE PENDRE !

TU VIENS, PHILIP ?

EUH... NON, ALLEZ-Y SANS MOI, SI ÇA VOUS FAIT RIEN...

MAIS ATTENDEZ ! ET LES BISCUITS !

ON LES MANGERA TOUT À L'HEURE, MÉMÉ !

HEY, CHARLY, ATTENDS ! OÙ TU VAS, ENCORE ?

JE VAIS VOIR LE SOLDAT FRANÇAIS, P'PA !

CHARLY, ATTENDS ! JE NE PENSE PAS QUE CE SOIT UNE TRÈS BONN...

AAAAAHH !

DITES DOCTEUR, FAITES ATTENTION, TOUT DE MÊME ! IL Y A QUELQU'UN AU BOUT DU FIL !

OUI, PARDON... JE TERMINE.

TSSS... COMME SI C'ÉTAIT UN SPECTACLE POUR LES ENFANTS, TIENS, D'ALLER REGARDER UN PAUVRE GARS SE BALANCER AU BOUT D'UNE CORDE.

OUI, MAIS LÀ C'EST DIFFÉRENT, IL S'AGIT D'UN FRANÇAIS !

MÊME SI C'EST UN FRANÇAIS.

TOI AU MOINS, TU...

?!!
...

ÇA Y EST, DOCTEUR !
LE FRANÇAIS EST SOUS
CONTRÔLE.

PARFAIT.
JE PASSERAI LE VOIR
TOUT À L'HEURE, CAR JE
SUIS CURIEUX DE VOIR LA
DENTITION RESPONSABLE
DE CES MORSURES.

DITES, VOUS POUVEZ
GARDER UN SECRET ?

MMMH...

UN SECRET D'ÉTAT, MÊME !
IL Y A UNE ASSEZ FORTE PROBABILITÉ
POUR QUE LA FRANCE SOIT EN TRAIN DE
PRÉPARER EN CE MOMENT MÊME
L'INVASION DE HARTLEPOOL.

VOUS N'ÊTES PAS
SÉRIEUX, LÀ... SI ?

C'EST CE QUE DONNENT LES PREMIERS
INTERROGATOIRES MENÉS SUR LE PRISONNIER,
EN TOUT CAS. L'INDIVIDU EST CORIACE, MAIS LES
INFORMATIONS COMMENCENT À TOMBER : UN
VASTE PLAN EST À L'ŒUVRE. VENEZ LE VOIR SI
VOUS NE ME CROYEZ PAS.

TENEZ-MOI
ÇA, VOUS...

OOH!

HEY ! LE FRANÇAIS ! C'EST VRAI QUE TES COPAINS VONT VENIR NOUS ENVAHIR ?!

QU'ILS Y VIENNENT, TES COMPATRIOTES, TIENS ! ILS VERRONT CE QUE C'EST, L'ACCUEIL À LA MODE DE HARTLEPOOL !

DESCENDEZ DE LÀ, LES MIOCHES ! C'EST PAS UN JEU, CE QUI SE PASSE ICI !

DITES…

VOUS AVEZ PAS VU MON GRAND-PÈRE ?

NON. PIS ON EST OCCUPÉS, LÀ…

ON SURVEILLE QUE LES FRANÇAIS, ILS ARRIVENT PAS PAR SURPRISE.

VOUS PENSEZ VRAIMENT QUE C'EST UN FRANÇAIS ?

ÉVIDEMMENT ! C'TE QUESTION ! QU'EST-CE QUE TU VEUX QUE ÇA SOIT ?!

VOUS CROYEZ PAS QUE ÇA POURRAIT ÊTRE PLUTÔT... UN SINGE ?

MOUAHAHA HA. HAHA HA. HA !

HA HA HA ! N'IMPORTE QUOI, CELLE-LÀ ! UN BATEAU AVEC DES SINGES ! NON MAIS DE QUOI JE ME MÊLE ?

C'EST BIEN UNE RÉFLEXION DE FILLE, ÇA !

POURQUOI PAS ? JE VOUS SIGNALE QUE LES PIRATES, ILS EN AVAIENT, DES SINGES, DES FOIS, SUR LEUR BATEAU, ET...

GNNNN....

POUSSEZ-VOUS !!!...

JE VAIS VOUS MONTRER, MOI, COMMENT IL FAUT PROCÉDER, AVEC CES SALAUDS DE FRANÇAIS QUI M'ONT BOUSILLÉ LES GUIBOLES !

MAIS... ?! PATTERSON, QU'EST-CE QUE VOUS FAITES ?!

DIEU...

...SAUVE...

PIIX

...LA REINE!!!

BROOM

BRAH

?

PATTERSON !

BON SANG, DOCTEUR, IL FAUT LE SAUVER ! PATTERSON EST NOTRE UNIQUE ANCIEN COMBATTANT, ON TOUCHE UNE SUBVENTION, POUR ÇA !

MAIS QUELLE IDÉE, AUSSI, À SON ÂGE !

REGARDEZ ÇA, IL EST OUVERT DE PARTOUT.

PATTERSON, VOUS M'ENTENDEZ ? COMMENT ÇA VA ?

JE... NE... SENS PLUS... MES JAMBES...

TRANSPORTEZ-LE DANS L'AUBERGE. IL NE FAUT PAS PERDRE DE TEMPS.

CHARLY ! OÙ EST-IL ENCORE, CELUI-LÀ ?

TOUT ÇA À CAUSE DE CE MAUDIT FRANÇAIS. C'EN EST TROP ! ON VA LUI RÉGLER SON COMPTE !

CHARLY !

OUAIS !

PENDEZ-LE !

STOP !

ON VA LE PENDRE, MAIS D'ABORD, IL A DROIT À UN PROCÈS !

JE VOUS RAPPELLE QU'IL S'AGIT PROBABLEMENT D'UNE AFFAIRE D'ESPIONNAGE ! LA SÛRETÉ DU ROYAUME EST PEUT-ÊTRE ENTRE NOS MAINS !

SNIF, SNIF...

T'EN FAIS PAS, MELODY. IL EN A VU D'AUTRES, TON GRAND-PÈRE !

ET, PIS MON PAPA, C'EST UN GRAND DOCTEUR ! ET C'EST SÛR QU'IL VA LE SAUVER.

ALORS TU VOIS ? LE PAPA DE CHARLY VA FAIRE CE QU'IL FAUT.

EN TOUT CAS, TON PÉPÉ, IL EST PAS BIEN DOUÉ POUR LA CHASSE AU... SINGE. PFFFFF !

HAHAHA !!

VOUS POUVEZ RIRE ! N'EMPÊCHE QUE ÇA SE PEUT PARFAITEMENT ! IL AVAIT DES DRÔLES DE PIEDS, JE VOUS SIGNALE !

OLD PATTERSON A DIT QU'IL AVAIT DES PIEDS DE FRANÇAIS.

PIS T'EN AS DÉJÀ VU, D'ABORD, DES SINGES ?

BEN, EUH... NON.

ET TOI, CHARLY ?

FUH... MOI NON PLUS.

OK, ALORS SUIVEZ-NOUS, LES MIOCHES.

MAIS... MAIS QU'EST-CE QUI VOUS EST ARRIVÉ, VOUS AUTRES ?

ON A PENSÉ QUE CE SERAIT TOUT DE MÊME PLUS CONVENABLE S'IL SE PRÉSENTAIT RASÉ À SON PROCÈS, MONSIEUR LE MAIRE.

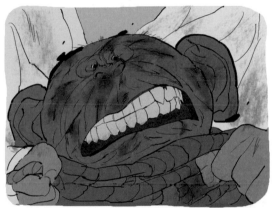

BON, COMMENÇONS. MONSIEUR LE FRANÇAIS QUI REFUSE DE DIRE SON NOM, VOUS COMPARAISSEZ DEVANT CE TRIBUNAL COMMUNAL POUR ACTE D'ESPIONNAGE, TENTATIVE D'INVASION DU ROYAUME DE SA MAJESTÉ ET VOIES DE FAIT SUR PLUSIEURS ADMINISTRÉS DU VILLAGE DE HARTLEPOOL.

LA PAROLE EST À LA DÉFENSE...

EUH... IL N'Y A PAS DE DÉFENSE, MONSIEUR LE MAIRE. PERSONNE N'A VOULU REPRÉSENTER CE FRANÇAIS.

C'EST ENNUYEUX, LA PROCÉDURE EXIGE QU'IL AIT UNE DÉFENSE. VOULEZ-VOUS BIEN VOUS EN CHARGER, MONSIEUR LE PASTEUR ?

MOI ?! VOUS PLAISANTEZ ?! CETTE SALETÉ DE FILS DU DIABLE M'A À MOITIÉ BOUFFÉ LA CUISSE !

QU'IL AILLE RÔTIR EN ENFER !

BIEN BIEN BIEN, DONC MERCI...

QUELQU'UN D'AUTRE ?

MOI, JE VEUX BIEN.

HEIN ? AS-TU PERDU L'ESPRIT, DOUG ?

MAIS QUOI ? ON S'EN FICHE, C'EST JUSTE MANIÈRE DE DIRE... DE TOUTE FAÇON ON VA LE PENDRE !

OUAIS MAIS QUAND MÊME !

JE TE REMERCIE, DOUG. TU AS DONC LA PAROLE...

MERCI, MONSIEUR LE MAIRE. ET TOUT D'ABORD, EN GUISE DE PRÉAMPOULE, J'AIMERAIS QU'ON APPORTE CLAIREMENT LA PREUVE IRRESPUTABLE QUE MON CLIENT EST FRANÇAIS !

SAINTE MERDE, DOUG, QU'EST-CE QUE C'EST QUE CE CHARABIA ?! BIEN SÛR QU'IL EST FRANÇAIS !

PEUT-ON ÉVITER DE BLASPHÉMER DANS CE TRIBUNAL, JE VOUS PRIE ?

DOUG A RAISON, WALTER. ON DOIT FAIRE LES CHOSES COMME IL FAUT.

EST-CE QUE QUELQU'UN A UN TÉMOIGNAGE DÉTERMINANT À APPORTER AU SUJET DE LA NATIONALITÉ DE L'ACCUSÉ ?

MOI JE DIS QU'AVEC SA FACE D'ENTRECUISSE DE COCHON INCONTINENT QUI...

MERCI, BARBIZAN.

QUELQU'UN D'AUTRE ?

LE SEUL QUI SOIT COMME QUI DIRAIT SPÉCIALISTE EN MATIÈRE DE FRANÇAIS, C'EST CE VIEUX ALF PATTERSON.

IL EST MOMENTANÉMENT INCAPABLE DE TÉMOIGNER DEVANT CE TRIBUNAL, MAIS IL L'A FORMELLEMENT RECONNU !

ABJECTION, VOTRE HONNEUR !

DOUG, JE VAIS TE FOUTRE MON PIED AU CUL !

FICHE-MOI LA PAIX, WALTER.

LE TÉMOIGNAGE DE CE VIEILLARD SÉNILE N'EST PAS RECEVABLE : OLD PATTERSON EST CINGLÉ, IL A ESSAYÉ DE DÉTRUIRE LA PRISON MUNICIPALE À COUPS DE CANON, ET TOUT LE MONDE SAIT BIEN, AU VILLAGE, QUE DEPUIS VINGT ANS, IL CONSTRUIT DANS SA CAVE UN BATEAU AVEC DES CAISSES À ANCHOIS, ET QU'IL PROJETTE DE S'EN SERVIR POUR ALLER REPRENDRE QUÉBEC.

JE SUIS OBLIGÉ DE PRENDRE CET ÉLÉMENT EN COMPTE, C'EST VRAI...

C'EST TOUT À FAIT FÂCHEUX, CAR SI NOUS N'ARRIVONS MÊME PAS À PROUVER LA NATIONALITÉ FRANÇAISE DU PRÉVENU, ON N'EST PAS COUCHÉS.

ET SON UNIFORME, ÇA NE SUFFIT PAS, CHRIST EN CHAUSSETTES !

ÇA PROUVE RIEN DU TOUT, VOT'HONNEUR ! JE PEUX TRÈS BIEN PORTER CETTE VESTE, ÇA NE FERAIT PAS DE MOI UN FRANÇAIS !

EUH... JE PEUX DIRE QUELQUE CHOSE...?

VAS-Y, MURPHY...

ALORS VOILÀ, EUH, QUAND LE PRISONNIER ÉTAIT EN CELLULE, ON A FAIT DES EXPÉRIENCES, PAR RAPPORT À CE QU'ON SAVAIT DE LA CUISINE FRANÇAISE...

ET DONC ?

ALORS ON LUI A SERVI DES GRENOUILLES...

... ET IL LES A MANGÉES !

BEUAAAAH !

QUE LE SEIGNEUR NOUS PROTÈGE ! C'EST ABSOLUMENT DÉGOÛTANT !

ET CE N'EST PAS TOUT. ON LUI A AUSSI PROPOSÉ DES ESCARGOTS...

ET ?

BIEN ! PREUVE EST FAITE QUE LE PRÉVENU EST FRANÇAIS.

PASSONS MAINTENANT À L'INCULPATION DE TENTATIVE D'INVASION DU ROYAUME D'ANGLETERRE !

T'EN FAIS PAS, MON VIEUX. ON A PERDU UNE BATAILLE JURIDIQUE, MAIS PAS LA GUERRE. JE VAIS PLAIDER LA FOLIE PASSAGÈRE.

?

TAP TAP

AAH !

AH ! MÊME TON CLIENT NE VEUT PAS DE TOI COMME AVOCAT, MON PAUVRE DOUG ! HA HA HA !

CRACHE ! CRACHE ! AIDEZ-MOI, VOUS AUTRES !

ON VA OÙ ?

TU VERRAS...

JE VOUS PRÉVIENS, SI C'EST UNE DE VOS BÊTISES POUR ME FAIRE PEUR, C'EST RATÉ...

¡AAH!!

EH BEN QUOI ? C'EST UNE TOILE…

OUAIP ! UN CLIENT DE L'AUBERGE A PAYÉ AVEC CETTE VIEILLE CROÛTE, IL Y A LONGTEMPS…

QUI C'EST ?

CAP… ITAINE… ROONEY… ET BONGORO, SON… SINGE FIDÈLE.

ÇA C'EST UN SINGE, FILLETTE.

ALORS POUR CONFONDRE ÇA AVEC UN FRANÇAIS, SOIT IL FAUT ÊTRE RAMOLLI DU CIBOULOT, SOIT IL FAUT ÊTRE UNE FILLE !

IMBÉCILES.

GROUILLEZ, LES GARS ! LE PROCÈS A COMMENCÉ ! ILS VONT PAS TARDER À LE PENDRE !

CHARLY !! VIENS ICI TOUT DE SUITE !

OÙ ÉTAIS-TU PASSÉ ? JE TE CHERCHE DEPUIS DES HEURES ! JE VEUX QUE TU RESTES PRÈS DE MOI !

VIENS VITE, PAPA, Y A LE PROCÈS DU FRANÇAIS ! ÇA DEVIENT INTÉRESSANT !

JE DOUTE FORT QUE LA PARODIE DE JUSTICE QUI EST À L'ŒUVRE LÀ-BAS PUISSE ÊTRE QUALIFIÉE D'INTÉRESSANTE, MAIS BON... J'AI FINI LES SOINS SUR LES VICTIMES ET À PRÉSENT, JE VAIS ALLER JETER UN ŒIL À CE FAMEUX FRANÇAIS.

JE VIENS AVEC TOI !

SI TU VEUX, MAIS TÂCHE DE...

... ?!?

TROP TARD ! ILS VONT LE PENDRE !

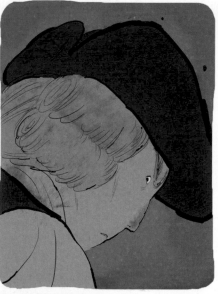

MAIS PAPA, TU VAS OÙ ? ON VA TOUT RATER !

CHARLY, UNE PENDAISON, CE N'EST PAS UN SPECTACLE, ET ENCORE MOINS UN DIVERTISSEMENT. UNE PENDAISON, C'EST UN HOMME QUI MEURT.

IL N'Y A RIEN DE RÉJOUISSANT LÀ-DEDANS, TU COMPRENDS ? IL N'Y A QU'UN IMMENSE CHAGRIN.

O... OUI...

ET MON RÔLE DE PÈRE, CHARLY, C'EST DE TE METTRE EN GARDE CONTRE CE PENCHANT NATUREL À LA CRUAUTÉ QUI SOMMEILLE EN CHACUN DE NOUS.

MÉFIE-TOI DE CE SENTIMENT QUI TE FAIT TE RÉJOUIR À LA VUE DU SANG, CHARLY. LORSQU'ON FAIT COULER DU SANG, C'EST TOUJOURS...

... UNE TRAGÉDIE.

AH, DOCTEUR !
C'EST NORMAL QUE
PATTERSON CONTINUE À
SE VIDER DANS MON
FAIT-TOUT ?

NON. IL A PERDU BEAUCOUP DE SANG,
MAIS IL DEVRAIT S'EN SORTIR, S'IL SE
REPOSE. J'AI FAIT CE QUE J'AI PU.

IL... IL EST
MORT, LE
MONSIEUR ?

À PRÉSENT, ALLONS
DORMIR UN PEU.
DEMAIN, ON PART À LA
PREMIÈRE HEURE !

SALUT.

SALUT.

C'EST QUI ?

C'EST MON GRAND-PÈRE. IL A VOULU FAIRE LA GUERRE À UN SOLDAT FRANÇAIS SURVIVANT DU NAUFRAGE. IL S'EST BLESSÉ AVEC UN CANON.

JE T'AI JAMAIS VU, ICI. T'ES QUI ?

PHILIP. JE FAIS QUE PASSER DANS LE COIN. ET TOI, COMMENT TU T'APPELLES ?

MELODY.

ENCHANTÉ, MELODY.

ÂAA...A PPROCHE, PETIT !

OUI, M'SIEUR ?

EST-CE QUE T'ES UN BON PETIT, PETIT ?

EUH, OUI M'SIEUR...

TANT MIEUX. JE TE CONFIE MA PETITE-FILLE, PETIT, FAUDRA PRENDRE BIEN SOIN D'ELLE, ET LUI FAIRE DE BEAUX ENFANTS...

EUH... BEN... MERCI, M'SIEUR.

GRAND-PÈRE !!

DES BEAUX REJETONS, QUI DEVIENDRONT GRANDS ET COSTAUDS, ET QUI IRONT **VENGER** LE VIEUX PATTERSON, EN TUANT TOUS CES SALOPARDS DE **FRANÇAIS !**

JUREZ-LE-MOI, LES JEUNES ! JUREZ-LE-MOI QUE VOUS FEREZ PLEIN DE PETITS SOLDATS BRITANNIQUES POUR VENGER LE VIEUX ALF !

JUREZ-LE-MOI ! **VENGEANCE !**

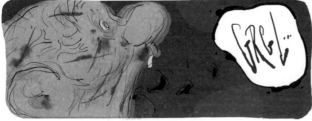

GRGL...

JE... JE SUIS DÉSOLÉ POUR TON GRAND-PÈRE, MELODY...

OUI. DEPUIS QU'IL AVAIT PERDU SES JAMBES, IL DISAIT TOUJOURS QUE LA MORT L'AVAIT AUTORISÉ À PAYER SON ADDITION EN PLUSIEURS FOIS.

ET VOILÀ QU'ELLE EST REVENUE FAIRE LES COMPTES.

OUAIS. ET CETTE FOIS, IL A RÉGLÉ EN PETITES COUPURES.

C'ÉTAIT MA SEULE FAMILLE, ICI.

QU'EST-CE QUE TU VAS FAIRE ?

JE NE SAIS PAS TROP. JE CROIS QUE J'AI UNE TANTE ÉLOIGNÉE QUI EST COUTURIÈRE DU CÔTÉ DE NEWCASTLE...

NEWCASTLE ? C'EST JUSTEMENT LÀ QUE JE VAIS. SI TU VEUX, JE T'ACCOMPAGNE !

APRÈS TOUT, TON GRAND-PÈRE M'A DEMANDÉ DE VEILLER SUR TOI...

PETIT MALIN !

DIS, ILS ONT VRAIMENT CAPTURÉ UN FRANÇAIS, AU VILLAGE ?

TU NE SAIS PAS ? ILS SONT EN TRAIN DE LE PENDRE, SUR LA PLACE.

SEIGNEUR, SI TU EXISTES, FAIS QUE ÇA SOIT CETTE ORDURE DE CAPITAINE NARRAUD...

TU FAIS UNE DRÔLE DE TÊTE, CE MATIN, WALTER.

FORCÉMENT, AVEC TOUT CE QU'ON A PICOLÉ HIER SOIR...

EH BEN BONNE ROUTE ALORS, DOCTEUR ! ET ENCORE MERCI !

PAS DE QUOI !

EN ROUTE, BARNEY. NOUS AVONS PERDU BEAUCOUP TROP DE TEMPS ICI. JE M'EN SOUVIENDRAI, DE HARTLEPOOL.

YAAAH !!!

NE REGARDE PAS, CHARLY. C'EST UN TRISTE SPECTACLE POUR UN... ?!?

BARNEY, ARRÊTEZ-VOUS !!

N'EMPÊCHE, JE SUIS DÉÇU QU'ON N'AIT PAS RÉUSSI À LE FAIRE PARLER.

C'EST POURTANT PAS FAUTE DE L'AVOIR TORTURÉ ! MAIS FAUT RECONNAÎTRE QU'ON EST TOMBÉS SUR UN CORIACE. IL N'A PAS DIT UN MOT !

OUAIP ! JE PENSE QU'ON A RATÉ LÀ UNE BONNE OCCASION DE FAIRE PARLER DU VILLAGE.

MAIS QU'EST-CE QUE C'EST QUE CETTE BLAGUE ?!! C'EST ÇA, VOTRE FRANÇAIS ?!!

EH BEN QUOI ?! QU'EST-CE QU'IL A ?

CE QU'IL A ?!

IL A QUE C'EST UN SINGE ! UN CHIMPANZÉ !

NON MAIS JE RÊVE ! ILS ONT PENDU UN CHIMPANZÉ !

UN SINGE, UN SINGE... COMME VOUS Y ALLEZ !

V... VOUS ÊTES SÛR ?

NATURELLEMENT, QUE JE SUIS SÛR, QU'EST-CE QUE VOUS CROYEZ ?! MAIS COMMENT AVEZ-VOUS PU PENSER QU'IL S'AGISSAIT D'UN FRANÇAIS ?!

BEN, DÉJÀ IL... IL AVAIT L'UNIFORME, TOUT DE MÊME...

ET SI ON VOUS METTAIT L'UNIFORME CHINOIS, MONSIEUR, CELA FERAIT-IL DE VOUS UN ÂNE CHINOIS ?

CHARLY ! MONTE DANS CETTE VOITURE IMMÉDIATEMENT !

M... MAIS PAPA, LE MONSIEUR, IL EST...

« CE N'EST PAS UN "MONSIEUR", CHARLY, C'EST UN SINGE. ILS ONT PENDU UN SINGE.

ET POUR L'AMOUR DE DIEU, CESSE DE ME CONTRARIER ET GRIMPE ! CE N'EST PAS LE MOMENT !

EUH, M'SIEUR...?

?

VOUS POURRIEZ NOUS RAPPROCHER DE NEWCASTLE ?

ON PEUT PAYER NOTRE VOYAGE...

UN PEU.

OH, MAIS AVEC PLAISIR ! CE SERAIT UN CRIME DE VOUS LAISSER DANS CE VILLAGE DE FOUS. MONTEZ !

ET TOI, LÀ-BAS, MERDEUX ! DESCENDS DU SINGE !!!

QUEL SINGE ?

AH LES IMBÉCILES ! AH LES IGNORANTS !

J'AURAIS PRÉFÉRÉ QUE TU NE VOIES PAS ÇA, CHARLY, MAIS PUISQUE C'EST FAIT, SOUVIENS-TOI TOUTE TA VIE DE CE QUE TU VIENS DE VOIR.

DES HOMMES PETITS, IMBIBÉS DE NATIONALISME, ONT PENDU UN SINGE ! AH, ELLE EST ENCORE LOIN, LA MODERNITÉ, C'EST MOI QUI TE LE DIS ! ON EST EN PLEINE PRÉHISTOIRE !

MAIS PAPA, TU... TU ES SÛR QUE C'ÉTAIT UN SINGE ? IL AVAIT L'AIR TELLEMENT...

HUMAIN ? BIEN SÛR QU'IL AVAIT L'AIR HUMAIN. LES SINGES NOUS RESSEMBLENT, CHARLY. C'EST COMME ÇA. UNE CRUELLE FANTAISIE DU CRÉATEUR POUR NOUS RAPPELER QU'ENTRE NOUS ET LES BÊTES, IL N'Y A QU'UNE HISTOIRE DE NUANCES...

DITES, VOUS CAUSEZ DRÔLEMENT BIEN, M'SIEUR. Z'ÊTES UN LORD, OU QUELQUE CHOSE COMME ÇA ?

JE SUIS LE DOCTEUR ROBERT DARWIN, DE SHREWSBURY.

ET VOICI MON PLUS JEUNE FILS, CHARLES DARWIN...

ON SE CONNAÎT DÉJÀ... MOI, C'EST PHILIP.

ENCHANTÉ, PHILIP. ET D'OÙ VIENS-TU ?

DE PARTOUT, M'SIEUR ! DE PARTOUT ET DE NULLE PART.

VOILÀ QUI NE VA PAS TE FACILITER LA VIE, JEUNE HOMME. DÉJÀ QUE L'ÉTRANGER FAIT PEUR ALORS QU'ON SAIT D'OÙ IL VIENT, M'EST AVIS QUE L'APATRIDE A DU SOUCI À SE FAIRE.

ET POUR LONGTEMPS...

Ainsi s'achève la légende du singe de Hartlepool. Quelle part de vérité contient-elle ? La plus mince possible, espérons-le... L'essentiel, on le suppose, c'est que la frontière ait été bien défendue contre les envahisseurs.

C'est important, les frontières. Sinon, on ne sait plus qui haïr...

Aujourd'hui encore, cette légende est bien vivace en Grande-Bretagne. Les habitants de Hartlepool portent le sobriquet peu flatteur de *monkey hangers*, "les pendeurs de singe". C'est aussi le surnom du club de supporters de l'équipe de foot locale, dont la mascotte est un singe prénommé H'Angus (jeu de mots avec *Hang us* ! : "Pendez-nous !".)

Et d'ailleurs, parlons-en, de ce singe...

En 2002, l'homme dans le costume de singe, Stuart Drummond, s'est présenté aux élections municipales avec un programme aussi concis que percutant : "Des bananes gratuites pour tous les écoliers." Et comme la population voulait exprimer un désaveu sonore envers les caciques locaux en place depuis toujours, il a été élu. Le singe H'Angus est devenu le premier maire anglais à être élu au premier tour.

Mr Drummond a été très honoré de la confiance qui lui était faite (un singe à la mairie !) et a raccroché son costume de primate pour se consacrer à sa nouvelle fonction. Il fut un si bon maire qu'il fut réélu en 2005, puis à nouveau en 2009, devenant ainsi le premier maire anglais à être élu trois fois de suite.

Le singe qu'on croyait un homme a été pendu.

L'homme qu'on voyait en singe a été élu.

Et la comédie humaine... continue.

"La nation est une société unie par des illusions sur ses ancêtres
et par la haine commune de ses voisins."
Dean William R. Inge

Du même scénariste, chez le même éditeur :
• *Alim le tanneur* (quatre volumes) - dessin d'Augustin
• *Les Aventures de Sarkozix* (cinq volumes) - dessin de Bazile
• *Célestin Gobe-la-Lune* (deux volumes) - dessin de Corboz
• *Le Droit Chemin* (deux volumes) - dessin de Tanco
• *L'Homme qui n'aimait pas les armes à feu* (deux volumes) - dessin de Salomone
• *L'Honneur des Tzarom* (deux volumes) - dessin de Cauuet
• *L'Ivresse des fantômes* (trois volumes) - dessin de Morgann
• *Little Big Joe* (deux volumes) - dessin de Campoy

Aux Éditions Soleil :
• *Corpus crispies* (un volume) - dessin de Mako

Aux Éditions Vents d'Ouest :
• *Azimut* (un volume) - dessin d'Andreae
• *L'Assassin qu'elle mérite* (deux volumes) - dessin de Corboz

© 2012 Guy Delcourt Productions

Tous droits réservés pour tous pays
Dépôt légal : septembre 2012. I.S.B.N. : 978-2-7560-2812-5

Conception graphique : Trait pour Trait

Achevé d'imprimer et relié en janvier 2013
sur les presses de l'imprimerie Lesaffre, à Tournai, Belgique

www.editions-delcourt.fr